CONHECENDO OS ORIXÁS

DE EXU A OXALÁ

WALDETE TRISTÃO | ILUSTRAÇÕES OTÁVIO BRESSANE

COLEÇÃO ORIXÁS PARA CRIANÇAS

Revisão: Taïs Bittencourt da Rocha Bressane
Projeto gráfico: Otávio Bressane Ilustração e Design

Dados Internacionais de Catalogação na Publicação (CIP)
(Câmara Brasileira do Livro, SP, Brasil)

Tristão, Waldete.
Conhecendo os Orixás: de Exu a Oxalá / Waldete Tristão Farias Oliveira; [ilustrações] Otávio Bressane - 2ª ed. - São Paulo: Arole Cultural, 2020. - (Orixás para crianças; 1)

ISBN 978-85-9062-401-1

1. Literatura infantojuvenil. 2. Orixás - Literatura infantojuvenil. 3. Religiões afro-brasileiras. 3. Candomblé - Literatura infantojuvenil. I. Bressane, Otávio. II. Título. III. Série

20-37623 CDD 028.5

Índices para catálogo sistemático:

1. Religiões afro-brasileiras: Literatura infantil 028.5
1. Religiões afro-brasileiras: Literatura infantojuvenil 028.5

Maria Alice Ferreira - Bibliotecária - CRB-8/7964

AGRADECIMENTOS

Ao Róbson Gil, meu filho querido, desde sempre me fazendo compreender que minha tarefa de aprender é muito maior que a de ensinar, e por me oferecer o maior dos desafios: o de aprender, a cada dia e de um jeito novo, sobre sua "presença ausente". Sua ausência não é e nunca será falta: você está e estará em mim, do lado de dentro, no meu coração para sempre. Ao Gil, meu amor, companheiro e presença segura em minha vida; à Valquiria Tristão, minha amada irmã; ao Pai Rodney por dizer: "em frente e enfrente!"; à Fabiane pela parceira; à Lucimar pela amizade e encorajamento ao doutorado; à Roseane, amiga de toda vida; ao Diego por motivar a retomada desta escrita.

Waldete Tristão.

APRESENTAÇÃO

Você sabia que em cada pedra, em cada plantinha, em cada vento e em cada raio de sol tem um pouco da força dos Orixás? Pois é! Os Orixás são deuses africanos, forças da natureza que nos guiam e nos protegem por toda a vida. Há muitos e muitos anos, eles foram trazidos do outro lado do oceano até o Brasil pelos africanos escravizados.

Quando o mundo foi criado pelos Orixás, não havia separação entre o *Orum*, o Céu, e o *Aiyê*, a Terra. Os seres humanos e os Orixás iam e voltavam de lá pra cá, brincando, dançando e compartilhando suas vidas e suas aventuras. Por aqui, eles e os humanos comiam e bebiam juntos, caçavam, plantavam, colhiam, tinham amores e desafetos, e também sabiam fazer coisas muito especiais!

Os mais velhos contam que o espaço sagrado do *Orum* era bem pertinho do *Aiyê*, mas um dia um dos seres humanos encostou as mãos sujas de barro no branco sagrado do *Orum* e Olodumare, o deus supremo e senhor do Céu, ficou muito bravo! Dizem até que Ele soprou e bufou, separando para sempre o Céu e a Terra...

Os Orixás sentiam saudades das suas aventuras com os seres humanos e ficaram muito tristes por essa separação. Então, decidiram pedir a Olodumare para, de vez em quando, retornarem à Terra e visitarem Seus amigos e amigas daqui. O Deus Supremo, vendo a tristeza nos olhos dos Orixás, permitiu e é assim que tem sido desde a criação do mundo!

De todas essas aventuras, surgiram histórias incríveis e os Orixás têm muito para nos contar e nós para aprender! Vamos conhecer um pouco mais de cada um deles?

EXU

EXU É SEMPRE O PRIMEIRO DE TODOS E VEM VESTIDO DE VERMELHO E PRETO, MAS TAMBÉM GOSTA DA MISTURA DE TODAS AS CORES DO MUNDO. TEM MUITOS NOMES E APELIDOS E EM ALGUNS ESTADOS DO BRASIL ELE SE CHAMA BARÁ. ELE É O MENSAGEIRO ENTRE OS HUMANOS E OS ORIXÁS, O GUARDIÃO DAS ESQUINAS E DA PORTA DA RUA. É ELE TAMBÉM QUEM ABRE OS CAMINHOS, POR MAIS DIFÍCEIS QUE ELES POSSAM PARECER. POR TUDO ISSO OS SEUS SÍMBOLOS SÃO O *OGÓ* - UM TIPO DE BASTÃO DE MADEIRA COM UMA DAS PONTAS ARREDONDADAS E VÁRIAS CHAVES.

EXU TAMBÉM LEVA AOS OUTROS ORIXÁS OS PEDIDOS, AS PROMESSAS E OS AGRADECIMENTOS DAS PESSOAS E POR ISSO DIZEMOS QUE EXU É O NOSSO MELHOR AMIGO, POIS É ELE QUEM CUIDA DA GENTE QUANDO ESTAMOS POR AÍ! ELE COME DE TUDO, MAS SUA PREFERÊNCIA É A CARNE DE BODE E DE GALO, FAROFA COM AZEITE-DE-DENDÊ E CACHAÇA PARA ACOMPANHAR. O DIA DE EXU É A SEGUNDA-FEIRA E PARA HOMENAGEÁ-LO DIZEMOS BEM ALTO: "*LAROIÊ*", QUE SIGNIFICA "Ó DONO DA FORÇA". E VOCÊ: QUAL O SEU DIA DA SEMANA FAVORITO?

OGUM

EM SEGUIDA, VEM O ALTIVO GUERREIRO VESTIDO DE AZUL MARINHO: OGUM, O ORIXÁ DAS BATALHAS, DO FERRO E DA TECNOLOGIA - IRMÃO INSEPARÁVEL DE EXU. ELES SÃO TÃO INSEPARÁVEIS QUE ATÉ TRABALHAM JUNTOS: SE EXU É QUEM ABRE O CAMINHO, OGUM É QUEM CUIDA DA SEGURANÇA DOS VIAJANTES NAS ESTRADAS. OGUM TAMBÉM É RESPONSÁVEL PELOS PROGRESSOS DA VIDA, SEGUINDO SEMPRE FORTE EMPUNHANDO SEU *OBÉ*, UM TIPO DE FACÃO QUE USA PRA DESBRAVAR E VENCER TODAS AS DIFICULDADES DO CAMINHO.

O DIA DE OGUM É A TERÇA-FEIRA E PARA HOMENAGEAR ESSE GRANDE GUERREIRO DIZEMOS "*OGUNHÊ*", QUE SIGNIFICA "OGUM, EU TE RESPEITO!". ELE GOSTA MUITO DE COMER CARNE DE GALO E DE CABRITO JUNTO COM INHAME ASSADO E AZEITE DE DENDÊ, MAS SEU PRATO PREDILETO É UMA BOA FEIJOADA! E VOCÊ, QUAL É A SUA COMIDA PREDILETA?

OXÓSSI

ESSE É OXÓSSI, O REI DE KETU: ELE É SENHOR DA FARTURA, DA PROSPERIDADE E DA FELICIDADE. OXÓSSI VIVE NAS MATAS, NAS BEIRAS DOS RIOS E NO MEIO DAS FLORESTAS E SUAS ROUPAS SÃO AZUL-TURQUESA OU VERDE CLARO. EM SUAS MÃOS ELE CARREGA O *ERUQUERÊ*, UM ESPANTA-ABELHAS FEITO COM A CRINA DO CAVALO, QUE SIMBOLIZA SUA REALEZA, E O *OFÁ*, O ARCO COM A FLECHA COM O QUAL CAÇA E CONQUISTA O SUSTENTO DA FAMÍLIA. A DANÇA DE OXÓSSI MOSTRA UMA CENA DE CAÇA, DESDE A PERSEGUIÇÃO ATÉ O MOMENTO EM QUE ELE ATIRA A FLECHA E ACERTA O ALVO! VOCÊ JÁ BRINCOU DE ARCO E FLECHA, COMO UM CAÇADOR?

OXÓSSI GOSTA DE COMER CARNES DE CAÇA, COMO TIGRES, ELEFANTES, BOIS E CABRITOS, COMO EM UM GRANDE CHURRASCO! ELE TAMBÉM ADORA OS PRATOS PREPARADOS COM MILHO E COCO, ESPECIALMENTE O *AXOXÔ*, QUE É PREPARADO COM MILHO COZIDO, VINHO BRANCO, UMA PITADA DE SAL E ENFEITADO COM LASCAS DE COCO. O DIA DE OXÓSSI É A QUINTA-FEIRA E SAUDAMOS OXÓSSI DIZENDO "*OKÊ ARÔ*", QUE QUER DIZER "SALVE O GRANDE CAÇADOR".

OMOLU

ESSE COBERTO DE PALHA É OMOLU, TAMBÉM CHAMADO OBALUAIÊ: O "REI DA TERRA", DEUS DA SAÚDE E DA VIDA! OMOLU CONHECE TODOS OS TIPOS DE DOENÇAS E O MELHOR DE TUDO É QUE ELE CONHECE SUAS CURAS E AS ESPALHA PELO MUNDO! POR ISSO, É PARA OMOLU QUE FAZEMOS NOSSAS OFERENDAS E ORAÇÕES QUANDO ALGUÉM ESTÁ DOENTE. OMOLU DANÇA COMO UM VELHO OLHANDO PARA O CHÃO, BALANÇANDO O CORPO COMO SE TIVESSE DIFICULDADE PARA SE EQUILIBRAR E CARREGANDO SEMPRE COM ELE SEUS COLARES DE BÚZIOS E CORAIS VERMELHOS, PRETOS E BRANCOS.

NA MÃO, ELE LEVA O SEU *XAXARÁ*: UM TIPO DE VASSOURA DE PALHA FEITA DE FOLHAS DE PALMEIRA SECAS, QUE ELE USA PARA ESPANTAR AS DOENÇAS. O DIA PREFERIDO DE OMOLU É A SEGUNDA-FEIRA, ASSIM COMO NOSSO AMIGO EXU. NÓS O SAUDAMOS DIZENDO "*ATOTÔ*", OU SEJA: "SILÊNCIO, O REI CHEGOU". OMOLU GOSTA DE COMER CARNE DE CABRITO, DE PORCO E DE GALO, MAS, ADIVINHE? O QUE ELE MAIS GOSTA É DE PIPOCA ENFEITADA COM TIRAS DE COCO, O *DEBURU*! VOCÊ JÁ COMEU PIPOCA COM COCO? QUE TAL EXPERIMENTAR?

OSSAIN

EM SEGUIDA VEM OSSAIN, O GRANDE CIENTISTA DOS ORIXÁS! CARREGANDO UM PÁSSARO DE FERRO EM SUAS MÃOS E MUITAS CABAÇAS NA CINTURA, ELE CHEGA VESTIDO DE VERDE E BRANCO, DANÇANDO NUMA PERNA SÓ: ATÉ PARECE QUE ESTÁ CATANDO FOLHAS NO CHÃO. OSSAIN VIVE NO MEIO DA FLORESTA E NO ALTO DAS ÁRVORES, ONDE PASSA OS DIAS ESTUDANDO E DESCOBRINDO OS MISTÉRIOS DAS FOLHAS E OS PODERES DAS PLANTAS E DAS ERVAS. É COM ELAS QUE ELE PREPARA TODOS OS REMÉDIOS DO MUNDO.

FALANDO NISSO... ALGUÉM DA SUA FAMÍLIA JÁ PREPAROU UM CHÁ PARA VOCÊ MELHORAR DA GRIPE? ENTÃO, VOCÊ JÁ PROVOU OS PODERES DESSE GRANDE ORIXÁ! OSSAIN GOSTA DE COMER CARNE DE CABRITOS E GALOS, MAS O SEU BANQUETE PREFERIDO É COM MILHO COZIDO, VERDURAS, LEGUMES E FRUTAS DE TODOS OS TIPOS. O DIA DE OSSAIN É A QUINTA-FEIRA E PRA PEDIR A SUA PROTEÇÃO DIZEMOS "*EUÊ ASSÁ*", QUE SIGNIFICA "SALVE O PODER DAS FOLHAS".

OXUMARÊ

OXUMARÊ É DEUS DAS TRANSFORMAÇÕES, DO INÍCIO E DO FIM AO MESMO TEMPO, DO INFINITO. ASSIM COMO SEUS AMIGOS OXÓSSI, OMOLU E XANGÔ (QUE VOCÊ AINDA VAI CONHECER), OXUMARÊ TAMBÉM FOI UM REI AFRICANO E, NOS PAÍSES ONDE REINAVA, ELE ERA REPRESENTADO COMO UMA SERPENTE - SÍMBOLO DA SABEDORIA. SUAS ROUPAS SÃO AMARELO, VERDE E PRETO, COMO A PELE DAS COBRAS, E QUANDO OXUMARÊ DANÇA, ELE SE MOVIMENTA APONTANDO PARA CIMA E PARA BAIXO, MOSTRANDO QUE O CÉU E A TERRA ESTÃO INTERLIGADOS.

O DIA DE OXUMARÊ É A TERÇA-FEIRA, JUNTO COM O ORIXÁ OGUM, E NÓS O CUMPRIMENTAMOS DIZENDO "*ARROBOBOI*", A MAIOR HONRA PARA OS SÚDITOS DESSE REI! POR SER O SENHOR DO INFINITO, OXUMARÊ TAMBÉM É O DEUS DE TODAS AS COISAS LONGAS E COMPRIDAS, DA CONTINUAÇÃO DA VIDA E DA VISÃO. ELE GOSTA DE COMER CARNE DE CABRITO E DE MARRECO, UM TIPO DE PATO SELVAGEM, MAS TAMBÉM ADORA UM PURÊ DE BATATA DOCE! VOCÊ JÁ COMEU BATATA DOCE? É UMA DELÍCIA!

NANÃ

ESSA SENHORINHA AÍ SENTADA É NANÃ, MÃE DE TODA A CRIAÇÃO. ELA É A DEUSA DAS ÁGUAS PARADAS, DA LAMA QUE FICA NO FUNDO DOS LAGOS, E TAMBÉM É DONA DO BARRO. NANÃ USA UMA CORTININHA DE BÚZIOS PARA COBRIR O ROSTO E VESTE BRANCO, AZUL E LILÁS. ELA É A DEUSA DOS PENSAMENTOS E TEM A SABEDORIA COMO SUA COMPANHEIRA, SENDO A MAIS VELHA DE TODOS OS ORIXÁS E CONSIDERADA MÃE DE OMOLU, OXUMARÊ E OSSAIN.

NANÃ DANÇA LENTAMENTE E CARREGA COM ELA O *IBIRI*, UM BASTÃO FEITO COM OS TALOS DAS FOLHAS DE PALMEIRA, PARECENDO TER EM SEUS BRAÇOS UMA CRIANÇA DE COLO. EM OUTROS MOMENTOS, QUANDO FAZ MOVIMENTOS LIGEIROS COM AS MÃOS, PARECE ESTAR MOENDO GRÃOS DE FEIJÃO FRADINHO COZIDO E DESCASCADO, SUA COMIDA PREDILETA. NANÃ TAMBÉM GOSTA DE COMER CARNE DE CABRA ACOMPANHADA POR *ABERÉM*, UM BOLINHO FEITO COM FARINHA DE MILHO BRANCO, E *OMI TORO*, UM MINGAU BEM DOCINHO. VOCÊ JÁ COMEU MINGAU ASSIM? O DIA DE NANÃ É O SÁBADO E PARA HOMENAGEAR ESSA GRANDE ANCIÃ DIZEMOS: "*SALUBA*", QUE SIGNIFICA "SALVE A MÃE DE TODAS AS MÃES".

OXUM

OXUM É A DEUSA QUE MORA NAS ÁGUAS DOCES, NOS RIOS, RIACHOS E CACHOEIRAS. ELA É A ORIXÁ DO OURO, DA FERTILIDADE E DO AMOR. VESTIDA LINDAMENTE COM AMARELO E DOURADO, OXUM TAMBÉM É A PROTETORA DAS CRIANÇAS E DA GRAVIDEZ. SUA DANÇA É COMO SE FOSSE UM PEIXE NA ÁGUA, MOSTRANDO-SE VAIDOSA, PENTEANDO OS CABELOS E VESTINDO SEUS BRINCOS, PULSEIRAS E COLARES. VOCÊ TAMBÉM GOSTA DE SE ENFEITAR? QUAL SEU ACESSÓRIO FAVORITO?

O SÍMBOLO DE OXUM É O *ABEBÊ*, UM ESPELHO EM FORMA DE LEQUE, ONDE ELA ADMIRA SUA PRÓPRIA BELEZA. OXUM GOSTA DE COMER CARNE DE CABRA E DE GALINHA, MAS SEU PRATO PREDILETO É MESMO O *OMOLOCUM*, UMA RECEITA FEITA COM FEIJÃO-FRADINHO COZIDO, CAMARÃO SECO E OVOS COZIDOS. O SÁBADO É O SEU DIA ESPECIAL E A SAUDAÇÃO PARA OXUM É "*ORE IEIÊ Ô*", QUE É A MESMA COISA QUE DIZER "SALVE A SENHORA DA BONDADE".

IBEJI

QUE BONITINHAS SÃO ESSAS DUAS CRIANÇAS: OS GÊMEOS IBEJI, ORIXÁS DA INFÂNCIA E DA INOCÊNCIA! UM MENINO E UMA MENINA, QUE NASCERAM E BRINCAM SEMPRE JUNTOS, NOS ENSINAM QUE OS DIFERENTES PODEM SER IGUAIS AO MESMO TEMPO E ESTÃO LIGADOS A TUDO QUE SE INICIA E NASCE: A NASCENTE DE UM RIO, O NASCIMENTO DOS SERES HUMANOS, O GERMINAR DAS PLANTAS, ETC. OS IBEJI VESTEM AZUL CLARINHO E COR-DE-ROSA, MAS GOSTAM DE TODAS AS CORES E ADORAM AS BRINCADEIRAS E AS TRAVESSURAS.

REPRESENTAM A ALEGRIA, A INOCÊNCIA E A PUREZA DE TODAS AS CRIANÇAS E SÃO ELES QUE PROTEGEM O BEBÊ DESDE O SEU NASCIMENTO ATÉ A ADOLESCÊNCIA. VOCÊ JÁ VIU UM BEBÊ RECÉM-NASCIDO? É TÃO BONITINHO! A COMIDA PREDILETA DOS IBEJIS É O *CARURU*, UMA DELÍCIA FEITA COM QUIABOS COZIDOS, MAS, COMO AS CRIANÇAS, ADORAM TODOS OS TIPOS DE DOCES. ELES PULAM DE ALEGRIA QUANDO LHES DIZEMOS "*EGBÉ! IBEJI ERÓ!*", OU SEJA: "VAMOS TODOS BRINCAR JUNTOS"!

OBÁ

OLHA QUEM VEM AGORA, VESTIDA DE LARANJA E MARROM: É OBÁ, A MAIS APAIXONADA E CORAJOSA DE TODOS OS ORIXÁS! ELA É A ESPOSA MAIS VELHA DE XANGÔ, MAS POR SER MUITO BRAVA ACABA VIVENDO SOZINHA. PROTETORA DO LAR E DAS FAMÍLIAS, QUANDO NECESSÁRIO ELA É CAPAZ DE SE TRANSFORMAR NUMA LEOA PARA DEFENDER AS PESSOAS QUE AMA. NA SUA CASA TEM ALGUÉM ASSIM, QUE PROTEGE VOCÊ E AS PESSOAS QUE VOCÊ AMA?

DURANTE SUA DANÇA, SEGURANDO A ESPADA E O ESCUDO, OBÁ COBRE A CABEÇA COM UM LINDO TURBANTE PARA NINGUÉM PERCEBER QUE ELA NÃO TEM MAIS UMA DAS ORELHAS, CICATRIZES DE SUAS LUTAS. ELA TAMBÉM CARREGA UM *OFÁ* COMO OXÓSSI, MOSTRANDO QUE ALÉM DE GUERREIRA TAMBÉM É CAÇADORA. OBÁ GOSTA DE CARNE DE CABRA E DE GALINHA, MAS SUA COMIDA PREFERIDA É O *ABARÁ*, UM BOLINHO DE FEIJÃO FRADINHO COZIDO COM CAMARÃO E AZEITE DE DENDÊ. SUA SAUDAÇÃO É "*OBA XIRÊ*", QUE SIGNIFICA "PODEROSA GUERREIRA", E SEU DIA DA SEMANA É A QUARTA-FEIRA, COMO XANGÔ, OXUM E IANSÃ.

EWÁ

EWÁ É A VERSÃO FEMININA DE OXUMARÊ, DEUSA DAS FONTES, DA BELEZA, DA VISÃO E DE TUDO AQUILO QUE É MISTERIOSO E QUE ESTÁ ESCONDIDO. ELA REPRESENTA TAMBÉM A PUREZA E A INOCÊNCIA, A JUVENTUDE E PROTEGE ESPECIALMENTE AS MENINAS MAIS JOVENS E AS ADOLESCENTES. QUANDO EWÁ DANÇA, ELA MOVE TODO O SEU CORPO COMO SE FOSSE UMA SERPENTE ENCANTADA, SEGURANDO UMA COBRA NUMA MÃO E, NA OUTRA, CARREGA LINDAMENTE O SEU *ADÔ*, UMA CABAÇA ONDE ELA GUARDA OS SEUS SEGREDOS. VOCÊ TAMBÉM TEM ALGUM SEGREDINHO?

SUAS CORES PREFERIDAS SÃO O VERMELHO, O COR-DE-ROSA E O TERRACOTA, UM TIPO DE MARROM. ELA GOSTA MUITO DE COMER CARNE DE CABRA, FEIJÃO PRETO COM OVOS COZIDOS E BANANA-DA-TERRA FRITA NO AZEITE-DE-DENDÊ. SUA COMIDA PREFERIDA É O *DANBORÔ*, UMA MISTURA DE TODOS OS SEUS INGREDIENTES FAVORITOS. O DIA DA SEMANA QUE EWÁ MAIS GOSTA É O SÁBADO E CUMPRIMENTAMOS ESSA LINDA ORIXÁ DIZENDO BEM ALTO: "*RIRRÓ*".

IANSÃ

IANSÃ, TAMBÉM CHAMADA DE OYÁ, VEM COMO UM VENDAVAL: ELA É DEUSA DOS VENTOS E DAS TEMPESTADES. MULHER FORTE E INDEPENDENTE, ELA É ESPOSA DE XANGÔ E O ACOMPANHA NAS BATALHAS DO DIA-A-DIA. MÃE DE NOVE FILHOS, ALGUNS DELES FOI ELA QUEM GESTOU, OUTROS ELA ADOTOU, CRIOU E AMOU! IANSÃ MORA EM MEIO AO BAMBUZAL E É ELA QUEM PROTEGE OS SERES HUMANOS DA FÚRIA DOS RAIOS. VOCÊ JÁ OUVIU O VENTO CANTAR EM DIAS DE CHUVA? É IANSÃ VINDO NOS PROTEGER!

VESTIDA DE MARROM, VERMELHO, COR-DE-ROSA OU BRANCO, SUA DANÇA LEMBRA OS VENTOS ENFURECIDOS. EMPUNHANDO A ESPADA E O *ERUECHIM* (UM TIPO DE ESPANADOR FEITO COM PELOS DE BÚFALO), ELA VEM COMO UMA GUERREIRA EM COMBATE. IANSÃ GOSTA DE CARNE DE CABRA E DE GALINHA, MAS TROCA TUDO ISSO POR UM BOM *ACARAJÉ*, UM BOLINHO FRITO FEITO COM FEIJÃO-FRADINHO. AO LADO DE XANGÔ, O DIA DE IANSÃ É QUARTA-FEIRA E NÓS A SAUDAMOS DIZENDO "*EPARREI OYÁ*", QUE SIGNIFICA "SALVE OS MAJESTOSOS VENTOS DE OYÁ".

LOGUNEDÉ

VESTIDO DE AZUL E AMARELO, ELE ANDA ORGULHOSO DE SUA BELEZA, COMO UM PAVÃO ESBELTO. VOCÊ JÁ VIU UM PAVÃO COM O RABO ABERTO? LEMBRA DE SUAS CORES? ASSIM É LOGUNEDÉ, O PRÍNCIPE DOS ORIXÁS, DEUS DA CAÇA E DA PESCA! FILHO DE OXÓSSI E OXUM, ELE DIVIDE O SEU TEMPO MORANDO SEIS MESES NAS MATAS, COM O PAI, E SEIS MESES NOS RIOS, COM A MÃE.

ELE É O DEUS CRIANÇA QUE OS MAIS VELHOS RESPEITAM, SENHOR DA ALEGRIA E DA RIQUEZA! CARREGA EM SUAS MÃOS UM *OFÁ*, O ARCO E FLECHA QUE GANHOU DE SEU PAI OXÓSSI, E O *ABEBÊ*, O LEQUE-ESPELHO QUE RECEBEU DE SUA MÃE OXUM. LOGUNEDÉ TAMBÉM COMPARTILHA OS GOSTOS DE SEUS PAIS, POR ISSO GOSTA DE COMER CARNE DE CABRA E DE CABRITO, DE GALO E DE GALINHA, FRUTAS E UM PRATO FEITO METADE COM O *AXOXÔ* DE OXÓSSI E A OUTRA METADE COM O *OMOLOCUM* DE OXUM. SEU DIA DA SEMANA É A QUINTA-FEIRA E ELE FICA MUITO FELIZ QUANDO LHE DIZEMOS “*LOCI LOCI! ELU ARÔ!*”

IEMANJÁ

ESSA É IEMANJÁ, A GRANDE MÃE QUE CUIDA DE TODOS NÓS, SERES HUMANOS E ORIXÁS: ELA É A DEUSA DO MAR E DA MATERNIDADE. IEMANJÁ NOS ENSINA QUE RESPEITAR AS OPINIÕES ALHEIAS NÃO QUER DIZER CONCORDAR COM ELAS E TAMBÉM NOS ENSINA A PERDOAR. SUAS ROUPAS SÃO AZUIS COMO O CÉU OU VERDES BEM CLARAS E BRANCAS, COMO AS ÁGUAS E A ESPUMA DAS ONDAS DO MAR. EM SUAS MÃOS, ELA SEGURA UM *ABEBÊ* COMO OXUM, MAS O DELA É FEITO EM PRATA E TEM O FORMATO DE PEIXES.

IEMANJÁ DANÇA MOVIMENTANDO SUAS MÃOS COMO SE CARREGASSE ÁGUA PARA BANHAR O MUNDO INTEIRO E LEVAR EMBORA AS MALDADES. VOCÊ JÁ VIU COMO AS ONDAS VÃO E VÊM NA BEIRA DA PRAIA? ASSIM É A DANÇA DE IEMANJÁ. ELA GOSTA DE COMER CARNE DE OVELHA, DE PATA E DE PEIXE, ALÉM DE ARROZ E TAMBÉM CANJICA TEMPERADA COM CAMARÃO: O *EBÔ IYÁ*, SEU PRATO PREDILETO. O DIA DE IEMANJÁ É O SÁBADO E NÓS A CUMPRIMENTAMOS DIZENDO "*ODO IYÁ*", QUE SIGNIFICA "SALVE A MÃE DAS ÁGUAS".

XANGÔ

ESSE AQUI É XANGÔ, O PODEROSO REI DE OYÓ, UM ANTIGO IMPÉRIO AFRICANO. DEUS DOS VULCÕES, DOS RAIOS, E DOS TROVÕES, ELE É UM DOS ORIXÁS MAIS CONHECIDOS: VOCÊ JÁ OUVIU UM TROVÃO EM DIAS DE TEMPESTADE? ELES SÃO A VOZ DE XANGÔ, QUE TAMBÉM É O DEUS DA JUSTIÇA E DA VERDADE. POR ISSO, A BALANÇA É UM DOS SEUS SÍMBOLOS, ONDE ELE PESA OS ERROS E ACERTOS QUE COMETEMOS DURANTE A VIDA! QUANDO VIVIA ENTRE OS SERES HUMANOS FOI CASADO COM AS ORIXÁS OBÁ - A VALENTONA -, IANSÃ - A INDEPENDENTE - E OXUM - A VAIDOSA.

SEGURANDO SEU *OXÊ*, UM MACHADO DE DUAS LÂMINAS, E VESTIDO COM LONGAS TIRAS DE TECIDOS VERMELHOS, MARRONS OU BRANCOS, XANGÔ DANÇA CHEIO DE ALEGRIA, CONTANDO A HISTÓRIA DE SUA VIDA E DE SEU REINADO. ELE GOSTA DE COMER DE TUDO E ADORA CARNE DE CARNEIRO E DE GALO, MAS SUA COMIDA PREFERIDA É O *AMALÁ*, UM PREPARADO FEITO DE QUIABO. O SEU DIA É A QUARTA-FEIRA E PARA HONRÁ-LO DIZEMOS: "*KAÔ KABIESILÊ*", QUE SIGNIFICA "DÊ-NOS LICENÇA PARA OLHAR O REI".

OXALÁ

ESSE SENHOR AÍ, PARECENDO UM VELHINHO CANSADO, É OXALÁ. ELE ANDA SEMPRE VESTIDO DE BRANCO PARA SIMBOLIZAR SEU NOME, QUE SIGNIFICA "O SENHOR DOS PANOS BRANCOS", E ÀS VEZES TAMBÉM É CHAMADO DE OXALUFÃ. ELE SABE DAS COISAS DA VIDA E DA MORTE E POR ISSO É MUITO RESPEITADO POR TODOS OS OUTROS ORIXÁS. ELE É O DEUS DA CRIAÇÃO, QUE MOLDOU OS SERES HUMANOS A PARTIR DO BARRO DE NANÃ.

OXALÁ CARREGA EM SUAS MÃOS O *OPAXORÔ*, UM CAJADO NO QUAL SE APOIA COMO SE FOSSE UMA BENGALA, E SE MOVIMENTA LENTAMENTE. AO MENOR TOQUE DESSE CAJADO NO CHÃO, OXALÁ CONVIDA TODOS OS OUTROS ORIXÁS PARA DANÇAREM JUNTO COM ELE. VOCÊ CONHECE ALGUÉM MAIS VELHO QUE TAMBÉM USE BENGALA? ESSAS PESSOAS COSTUMAM SER SÁBIAS E TÊM MUITO PARA NOS ENSINAR! ELE GOSTA DE COMER CARACOL E COMIDAS BEM BRANQUINHAS – POR ISSO, SUA COMIDA PREFERIDA É O *EBÔ*: A CANJICA BRANCA COZIDA E SEM NENHUM TEMPERO. O DIA DE OXALÁ É SEXTA-FEIRA E NESSE DIA TODOS DEVEMOS VESTIR BRANCO EM SUA HOMENAGEM. A SAUDAÇÃO DESSE GRANDE ORIXÁ É "*EPA BABÁ*", QUE SIGNIFICA "Ó PAI ADMIRÁVEL".

OXOGUIÃ

ESSE MOÇO AÍ É OXOGUIÃ: O GUERREIRO DA PAZ, QUE NOS DEFENDE E AFASTA AS BRIGAS E CONFUSÕES DA NOSSA VIDA! ELE É DA FAMÍLIA DE OXALÁ E, POR ISSO, VEM VESTIDO TODO DE BRANCO, USANDO APENAS ALGUNS DETALHES DE AZUL CLARINHO EM SEUS COLARES. ELE É O DEUS DA CULTURA, DO PROGRESSO E DO TRABALHO QUE GARANTE O SUSTENTO DAS FAMÍLIAS. INCLUSIVE FOI ELE QUEM INVENTOU O PILÃO, A PRIMEIRA FERRAMENTA UTILIZADA PARA PREPARAR OS ALIMENTOS.

OXOGUIÃ DANÇA FIRME E ALTIVO, SEGURANDO EM UMA DAS MÃOS UMA ESPADA E NA OUTRA UMA MÃO-DE-PILÃO, AS DUAS DE PRATA. VOCÊ JÁ BRINCOU DE ESPADA COM ALGUM AMIGUINHO E NO FINAL FIZERAM AS PAZES? POIS É, ALGUMAS VEZES, OXOGUIÃ TAMBÉM CARREGA NAS COSTAS UMA BANDEIRA BRANCA PARA SIMBOLIZAR A PAZ QUE TANTO BUSCA! OXOGUIÃ GOSTA DE COMER CARACÓIS, PURÊ DE INHAME COM UM POUCO DE AZEITE DE OLIVA, ARROZ E CANJICA, TUDO SEM SAL E SEM TEMPEROS. ASSIM COMO OXALÁ, SEU DIA DA SEMANA É A SEXTA-FEIRA E A SAUDAÇÃO EM SUA HOMENAGEM É "*EPA BABÁ*"!

SOBRE OS AUTORES

WALDETE TRISTÃO

Adoro escutar e contar histórias e fiz isso muito tempo como professora de educação infantil, coordenadora pedagógica e formadora de professores e gestores na educação básica. Entendo as histórias como potentes ferramentas na formação das pessoas. Na área da Educação, sou Doutora pela Universidade de São Paulo e Mestre pela Pontifícia Universidade Católica de São Paulo. Atuo como consultora do Centro de Estudos das Relações de Trabalho e Desigualdades em projetos relacionados à temática das relações étnico-raciais e infância, envolvendo professores e gestão. Também participo do Ilu Oba de Min - Educação, Cultura e Arte Negra.

OTÁVIO BRESSANE

Desde que eu me lembro eu desenho. Tenho no Brasil a minha maior inspiração e em nossos artistas as minhas grandes referências. Sou arquiteto formado pela Escola da Cidade e mestre em Urbanismo pela UFRJ. Atuei em diversos escritórios de arquitetura até direcionar minha carreira para a ilustração. Desde 2010, dedico-me exclusivamente à ilustração e ao design gráfico e editorial e atualmente sou sócio do Estúdio Kiwi.

Este livro foi publicado originalmente na primavera de 2018, na cidade de São Paulo, pela memória e resistência do povo negro e de axé. O texto foi composto em caracteres Stabile e Graviola Soft, com títulos em caractere Chronic.